y el autobús apestoso

Texto de Bárbara Park
Ilustraciones de Denise Brunkus

 Bruño

Título original: *Junie B. Jones*
                and the Stupid Smelly Bus
Publicado por primera vez por
Random House, Inc., EE UU
© del texto: Barbara Park
© de las ilustraciones: Denise Brunkus

© Grupo Editorial Bruño, S. L., 2003
Maestro Alonso, 21; 28028-Madrid

Dirección editorial: Trini Marull
Edición: Cristina González
Traducción: Begoña Oro

Diseño de cubierta: Miguel Ángel Parreño
Diseño de interiores: JV, Diseño Gráfico, S. L.

ISBN: 84-216-9240-2
Depósito legal: M-40.722-2003
Impresión: BROSMAC, S. L.
Printed in Spain

Índice

1. La Seño

Me llamo Junie B. Jones. La B es de Berta. Pero es que a mí no me gusta Berta. A mí lo que me gusta es la B, y ya está.

Como se ha acabado el verano, ya me toca ir al cole. El cole es un sitio donde te mandan para que hagas amigos y para que no veas la tele.

Además, hoy es mi primer día en el cole nuevo. Aunque ya he estado allí antes. Fue la semana pasada. Mamá me llevó a conocer a mi profesora.

La profesora me dio la mano, pero no le salió muy bien porque nuestras manos no encajaban.

Se llama señorita Noséqué. Pero a mí me gusta Seño a secas.

La Seño dijo que yo era muy guapa.

—Ya lo sé —dije yo—. Es que llevo zapatos nuevos.

Y levanté un pie bien alto.

—¿Has visto qué brillantes? Los he limpiado con saliva. ¿Y a que no sabes otra cosa? —le dije—: Llevo mi gorra favorita. Me la ha regalado mi abuelo. ¿Has visto que tiene cuernos de diablo?

La Seño se echó a reír, aunque no entiendo por qué. ¡Los cuernos de diablo dan miedo, no risa!

11

Luego dimos una vuelta por la clase y me enseñó dónde estaban las cosas. Por ejemplo, los caballetes para pintar. Y las estanterías con los libros. Y las mesas para sentarnos y no ver la tele.

Una de las mesas tenía una silla roja.

—Me gustaría sentarme aquí —le dije.

Pero la Seño dijo:

—Ya veremos, Junie.

—¡B.! ¡Me llamo Junie B.!

Grité la B bien alto, para que no se olvidara.

La gente sieeeempre se olvida de la B. ¡Sieeeempre, sieeeempre!

Mamá puso una cara rara y miró al techo. Yo también. Pero no vi nada especial allí arriba.

—¿Vas a coger el autobús, Junie B.? —me preguntó la Seño.

Yo subí y bajé los hombros.

—No sé. ¿Adónde va?

Mi madre dijo que sí con la cabeza:

—Sí, sí. Irá en autobús.

Entonces tuve miedo, porque yo nunca había montado en autobús.

—Pero ¿adónde va? —volví a preguntar.

La Seño se sentó detrás de su mesa. Entonces ella y mi madre se pusieron a hablar del autobús.

Yo le di un golpecito en el hombro a la Seño:

—¡Todavía no sé adónde va ese autobús!

La Seño sonrió y me dijo que el autobús iba a encantarme, y que el conductor se llamaba señor Chang.

—El señor Chang —dijo mamá—. Qué nombre más fácil de recordar, ¿verdad, Junie B.?

Yo me tapé los oídos y empecé a patalear:

—SÍ, SÍ, PERO ¿ADÓNDE NARICES VA ESE MALDITO AUTOBÚS?

Mamá y la Seño fruncieron el ceño. Fruncir el ceño es cuando pones las cejas como si estuvieras enfadada.

—¡Haz el favor de comportarte, señorita! —dijo mamá.

«Señorita» es mi nombre cuando me he metido en un lío.

Me miré los zapatos. Ya no parecían tan brillantes como antes.

Entonces entraron en clase otra madre con un niño. La Seño se fue a hablar con ellos en vez de conmigo. Y, la verdad, no sé por qué, porque el niño aquel era supertonto: se portaba como un bebé, todo el rato escondido detrás de su madre.

Después, mi madre me explicó todo lo del autobús. Me dijo que era amarillo, que paraba en mi calle, que yo debía subirme en él y que me llevaría hasta el colegio.

—Para cuando llegues, tu profesora te estará esperando en el aparcamiento —dijo mamá—. ¿Te parece bien, Junie B.? ¿Has visto qué divertido?

Yo dije «sí» con la cabeza.

Pero por dentro, pensaba:

«No».

2. Hormigas en la tripa

Durante toda la semana, cuando me ponía a pensar en el autobús, me entraba miedo. Y la noche anterior, cuando mi madre me metió en la cama, aún me ponía mala solo de pensarlo.

—¿A que no sabes lo que se me ha ocurrido? —le dije—. Que mañana no iré al cole en autobús.

Entonces mi madre me despeinó un poco y dijo:

—Ya lo creo que irás.

—Ya lo creo que no —le respondí.

Entonces mamá me dio un beso y me dijo:

—Será divertido, ya lo verás. No te preocupes.

Pero sí me preocupé. Y mucho. Y no dormí bien.

Y a la mañana siguiente me levanté muy triste. Y me dolía la tripa como si tuviera hormigas por dentro. Y no me entraba el desayuno.

Estuve viendo la tele hasta que mamá dijo que ya era hora de ir al cole.

Entonces me puse una falda que parece de terciopelo. Y mi jersey rosa nuevo, que es super-suave.

Después, mamá y yo fuimos andando hasta la esquina de mi calle, que es donde para el autobús.

¿Y a que no sabes qué vi? Otra madre y otra niña. Era una niña con el pelo negro y rizado. Mi pelo favorito.

Pero no le dije hola porque era de otra calle, ¿sabes?

Por fin llegó el autobús amarillo. Cuando frenó, hizo un ruido horrible y me tuve que tapar los oídos.

Entonces se abrió la puerta.

Y el conductor dijo:

—¡Hola! Soy el señor Chang. ¡Venga, subid!

Pero yo no subí. Y mira que lo intenté, pero nada, mis piernas no querían. Imposible.

—¡No quiero ir al cole en autobús! —le volví a decir a mi madre.

Entonces ella me dio un empujoncito:

—Venga, Junie B. Estás haciendo esperar al señor Chang. Pórtate como una mayor y sube.

Miré hacia el autobús. La niña del pelo negro rizado ya estaba sentada dentro. Parecía contenta.

—Mira a esa niña, Junie B. ¿Has visto qué mayor? —dijo mamá—. ¿Por qué no te sientas a su lado? Ya verás qué divertido. Te lo prometo.

Me subí al autobús.

¿Y sabes qué?

¡¡¡No fue nada divertido!!!

3. El autobús apestoso

El autobús no se parecía en nada al coche de mis padres. Por dentro era enorme. Y no había ninguna manta en los asientos.

Cuando pasé al lado de la niña del pelo negro rizado, le dije:

—¿Sabes? Mi madre me ha dicho que me siente contigo.

—¡No! ¡Estoy guardando el sitio a mi mejor amiga!

Así que puso su mochila en el sitio donde pensaba sentarme. Y yo le saqué la lengua.

—Dese prisa, jovencita —me dijo el señor Chang.

Entonces me senté a toda pastilla al otro lado de la niña superantipática de pelo negro rizado. Y el señor Chang cerró la puerta. Solo que no era una puerta normal. Se doblaba por la mitad, y cuando se cerraba, se oía un silbido.

No me gustan esas puertas. Si se cierran de golpe y te pillan en medio, te pueden partir en dos. Así: ¡¡¡ÑIEEEK-CRASSSH!!!

El autobús soltó un rugido. Y luego una enorme nube de humo negro. Me parece que lo echa por el «tubo de escaparse», o algo así.

El señor Chang estuvo conduciendo un buen rato. Luego, los frenos volvieron a hacer ese ruido horrible. Yo me tapé los oídos otra vez para que no se me

23

metiera en la cabeza. Porque si los ruidos horribles se te meten en la cabeza y te empieza a doler, te tienes que tomar un medicamento, que lo he visto en un anuncio de la tele.

Entonces volvió a abrirse la puerta y entró un padre con un niño enfadadísimo.

El padre iba todo sonriente. Y, de repente, fue y me colocó al lado al niño enfadadísimo.

—Este es Jim, y me temo que hoy no tiene un buen día... —me dijo.

El padre le dio un beso de despedida, pero el niño se limpió la cara y se lo quitó.

Jim llevaba una mochila. Me encantan las mochilas. Ojalá tuviera una. Una vez me encontré una en una papelera, pero mamá no me dejó cogerla. Y todo porque tenía una manchita de nada y chorreaba no sé qué cosa.

La mochila de Jim tenía un montón de cremalleras. Yo me puse a contarlas:

—Una... dos... tres... cuatro...

Y entonces bajé una cremallera.

—¡EH, PARA! —gritó Jim.

Y subió la cremallera a todo correr. Luego se cambió de sitio.

¡Odio a ese niño!

Después, el autobús siguió parando y arrancando. Y subieron un montón de niños más. Niños muy ruidosos. Y algunos, de esos que se nota enseguida que son malos-malísimos.

En el autobús cada vez hacía más calor y más ruido. Y a mí, venga a darme todo el sol. Y yo con ese jersey rosa tan supersuave y calentito...

Ah, y otra cosa: ¡Encima, no podía bajar la ventanilla porque no tenía manivela!

Lo único que podía hacer era asarme y asarme cada vez más.

Por si fuera poco, el autobús olía que apestaba. Como a queso del fuerte.

—¡QUIERO SALIR DE AQUÍ! —dije en voz bien alta. Pero nadie me oyó—. ¡ODIO ESTE MALDITO Y APESTOSO AUTOBÚS!

Entonces los ojos se me pusieron un poco húmedos. Pero no es que estuviera llorando, ¿eh? No soy ningún bebé, ¿vale?

Después me empezó a gotear la nariz. Pero solo un poco, ¿eh? Y resulta que en el autobús no hay guantera, que es el sitio donde están los pañuelos, claro. No tuve más remedio que limpiarme la nariz con la manga de mi jersey rosa que es tan supersuave.

Luego el maldito autobús siguió andando durante una hora... o tres, más o menos. Hasta que por fin vi un edificio con un patio de recreo.

¡Eso era que ya habíamos llegado al cole!

Entonces el señor Chang metió el autobús en el aparcamiento del colegio y paró de una vez.

Yo salté de mi asiento, porque lo que más quería en el mundo era salir de aquel autobús apestoso.

Y... ¿a que no sabes qué pasó? Que Jim me dio un empujón. Y la niña superantipática del pelo negro rizado, otro. Y entonces todos empezaron a apretujarme. Y yo les empujaba. Y ellos me empujaban a mí.

¡Y entonces me caí! ¡Y un pie enooooorme pisó mi falda que parece de terciopelo!

—¡FUERA! —chillé.

Entonces el señor Chang empezó a gritar:

—¡Eh, eh, eh, calma!

Y me levantó del suelo y me ayudó a salir del autobús.

La Seño estaba esperándome, como me había dicho mi madre.

—¡Hola! ¡Me alegro de verte! —me dijo.

Entonces me fui corriendo hacia ella. Y le enseñé la enorme huella que había en mi falda que parece de terciopelo.

—No te preocupes, Junie. Te quitaré la mancha —dijo ella.

Pero yo me crucé de brazos y fruncí el ceño. ¿Y a que no sabes por qué?

¡Porque se había vuelto a olvidar de la B!

4. Lucy y unos cuantos más

Resulta que algunos de los niños del autobús también iban a mi clase.

Y uno de esos era ese tal Jim.

¡Odio a ese niño!

La Seño nos hizo ponernos en fila. Luego la seguimos hasta nuestra clase.

Había otros chicos esperando en la puerta. Cuando la Seño abrió, entraron todos de golpe.

Ese odioso Jim me dio un pisotón en mi zapato nuevo.

¡Tan brillante que estaba, y va Jim y le hace una marca! Y encima, una marca de esas que no se van con saliva.

—¡EH, IDIOTA! ¡TEN CUIDADO! —le grité.

La Seño se inclinó hacia mí y me dijo:

—En el cole tenemos que intentar hablar bajito, ¿de acuerdo?

Entonces dije bien bajito:

—¡Odio a ese niño!

Después, la Seño dio tres palmadas fuertes y dijo:

—Ahora quiero que cada uno busque una silla y se siente lo más rápido posible.

Yo corrí hacia la silla roja. Pero ¿sabes qué pasó? ¡Que ya se había sentado una niña! Una niña con las uñas pintadas de rojo.

Así que le di unos golpecitos en el hombro y le dije:

—¿Sabes? Me gustaría sentarme aquí.

—Pues no puede ser, porque estoy yo —dijo ella.

—Sí, lo que pasa es que yo ya había elegido esa silla —le conté—. Pregúntale a mi madre y verás.

Pero la niña no hacía más que mover la cabeza de un lado a otro.

Entonces la Seño volvió a dar unas palmadas y me dijo:

—¡Por favor, busca una silla!

Y tuve que sentarme a toda prisa en una horrible silla amarilla.

Después, la Seño fue al fondo de la clase y abrió un armario que se llama «el armario del material». Sacó varias cajas con pinturas de colores nuevas y unos círculos blancos. Nos dio uno a cada uno, y nos dijo que teníamos que escribir nuestro nombre dentro y colgárnoslo de la ropa.

Era nuestro primer trabajo.

—Si necesitáis ayuda, levantad la mano —dijo la Seño.

Y levanté la mano.

—Yo no necesito ayuda —le dije—. Mi abuela dice que escribo superbién.

Empecé con el color rojo. Y entonces metí la pata.

Puse **JUNIE** demasiado grande y ya no me quedaba sitio para la **B.** Tuve que escribirla toda apretujada en un ladito.

—¡ODIO ESTE CÍRCULO! —grité.

La Seño hizo «chist» y me dio otro círculo nuevo.

—Gracias —le dije con mucha educación.

La niña de las uñas rojas tardó menos que yo. Me enseñó su círculo y señaló las letras una a una.

—L-U-C-Y. Así se escribe *Lucy* —dijo.

—Vaya, te crees muy lista, ¿eh? —le dije yo—. Pues que sepas que mi abuela dice que escribo superbién, ¡y es verdad!

Entonces la Seño nos dio papel para dibujar. Y tuvimos que hacer un dibujo de nuestra familia.

La Seño puso en mi dibujo una pegatina con una cara sonriente. Eso es que estaba muy bien. Lo único es que mi padre me salió un poco delgaducho. Y a mi madre se le quedó el pelo de punta.

Después, la Seño nos llevó de paseo por todo el colegio.

Teníamos que ir de la mano de un compañero.

Mi compañera era Lucy. Nos dimos la mano.

El chico supertonto que se escondía como un bebé detrás de su madre estaba delante de nosotras. Su compañero era ese tal Jim.

¡Odio a ese niño!

Primero fuimos al Centro de Información, que es lo mismo que una biblioteca, pero con otras palabras. Es un sitio donde hay muchos libros. ¿Y sabes qué? ¡Los libros son lo que más me gusta de todo-todísimo!

—¡EH! ¡AQUÍ HAY TRILLONES DE LIBROS! —me puse a gritar toda emocionada—. ¡ME EN-CANTA ESTE SITIO!

La bibliotecaria se acercó a mí y me dijo que, por favor, hablara bajito.

—SÍ, PERO ES QUE... ¿SABES QUÉ? ¡QUE AHORA ME GUSTAN LOS LIBROS CON MUCHOS DIBUJOS, PERO MAMÁ DICE QUE, CUANDO SEA MAYOR, ME GUSTARÁN LOS LIBROS CON MUCHAS LETRAS. Y QUE TAM-BIÉN ME GUSTARÁ LA COLI-FLOR!

El chico supertonto hizo «chist».

Yo le enseñé el puño cerrado.

Y él se dio la vuelta.

Después fuimos al comedor. El comedor es el sitio donde los niños comen.

—¡Hmmm! —dije—. ¡Qué bien huele! ¡A espaguetis con tomate!

Entonces Jim se dio la vuelta y dijo, tapándose la nariz:

—¡Puajjjj! ¡Huele a pedo de Junie B.!

Lucy se echó a reír.

Y yo me solté de su mano.

Luego fuimos a la enfermería.

Es un sitio muy chulo. Hay dos camitas para tumbarse. Y también dos mantas de cuadros.

La enfermera no parece una enfermera. No lleva ropa blanca, ni tampoco zapatos blancos.

Nuestra enfermera es de colores, como todo el mundo.

Lucy levantó la mano y dijo:

—Mi hermano mayor dice que el año pasado estuvo aquí. Y que le mandaste quitarse los zapatos. Y que le hiciste beber agua en uno de sus calcetines.

Entonces ese odioso de Jim se volvió otra vez y le dijo:

—¡Puajjjj! ¡Huele a calcetín de Lucy!

Lucy le sacó la lengua.

Y volvimos a darnos la mano.

5. El Director

Después de la enfermería, fuimos al despacho principal.

Eso es donde vive el jefe del cole, que se llama Director.

El Director es calvo como un huevo duro.

Nos habló un rato.

Entonces Lucy levantó la mano:

—Mi hermano mayor dice que el año pasado le hicieron venir aquí. Y que le gritaste. Y que no le dejaste pegar más a los niños en el recreo.

El Director hizo ruidos como de reírse.

Luego nos abrió la puerta para que nos marchásemos.

Después nos fuimos a la fuente. Y la Seño dijo que podíamos beber agua.

Pero a mí no me dejaron beber mucho, porque los otros chicos no hacían más que meterme prisa.

—¡Venga, niña, acaba ya! —decían.

—¿Sabéis qué pasa? ¡Que no me llamo «niña»! —les contesté yo.

—¡Se llama Junie B...erberecho! —dijo Lucy.

Y se echó a reír.

Pero a mí no me pareció gracioso.

Después, la Seño nos enseñó dónde estaban los baños.

En el colegio hay dos tipos de baños:

El tipo de chicos y el tipo de chicas.

Yo no puedo entrar en el tipo de chicos, porque las chicas no pueden. Por eso.

Y aunque intenté echar un vistazo allí dentro, la Seño no me dejó.

El único niño que tenía que ir al baño era el supertonto ese.

Llevaba dando saltitos un buen rato, y entonces empezó a corretear mientras se tapaba los pantalones con la mano.

—¡Lucas! —dijo la Seño—. ¿Tienes una urgencia?

Entonces Lucas, el supertonto, chilló:

—¡SÍ!

Y se fue corriendo al baño.

Los demás volvimos a clase.

Yo estuve tocando las uñas de Lucy. Ella me contó que se las había pintado con un esmalte que se llamaba *Sonrojo de Gorgojo Rojo*.

—A mí también me gustaría llevar las uñas pintadas —dije—. Pero solo me dejan ponerme un esmalte brillante. Se llama *Transparente.* «Transparente» es color escupitajo.

—Odio el transparente —dijo Lucy.

—Y yo... ¡Y también odio el amarillo, porque es el color de

CHICOS

45

nuestro maldito autobús apestoso!

Lucy pensaba lo mismo:

—Mi hermano dice que, si vuelves a casa en autobús, unos niños malos-malísimos te tiran batido de chocolate por la cabeza.

Entonces volví a sentir hormigas paseando por mi tripa. ¡Y todo porque tenía que volver a casa en ese maldito autobús!

—Jo, ¿por qué tienes que hablar de eso? —protesté.

Después de volver a clase, trabajamos un rato más.

Hicimos un juego para aprendernos los nombres de los demás.

Yo me aprendí el de Lucy. Y el de una niña que se llamaba

Betty. Y también me acordé enseguida del de otro chico que se llamaba Ham, como si fuera un trozo de Ham-burguesa de la abuela.

Al poco rato, la Seño volvió a dar palmadas.

—Muy bien. Ahora, que todo el mundo vaya recogiendo sus cosas. Dentro de poco sonará el timbre.

Entonces oí un ruido en el aparcamiento. Un ruido de frenos. Y miré por la ventana. Y vi el autobús.

¡Otra vez tenía que coger ese apestoso autobús!

—¡Oh, no! —chillé—. ¡Ahora me llenarán el pelo de batido de chocolate!

Entonces tuve una idea...

—¡Todo el mundo en fila! —dijo la Seño—. A la salida, que vengan conmigo los alumnos que vayan en autobús. El resto, que cruce la calle con el guardia.

Todo el mundo se puso en fila. A mí me tocó la última.

Entonces sonó el timbre y la Seño salió por la puerta. Y luego todos salieron detrás.

Bueno, todos menos una.

¿A que no sabes quién?

¡¡¡Yo!!!

6. El escondite

Cuando eres la última de la fila, nadie te presta atención. Y por eso nadie se dio cuenta de que me había agachado y me había escondido detrás de la mesa de la Seño.

Soy superbuena jugando al escondite.

Una vez, en casa de la abuela, me escondí debajo del fregadero. Luego me puse a rugir y al final salté sobre la abuela. ¡Menudo susto se llevó!

Ahora ya no me dejan hacerlo, claro.

Pues bueno, yo me quedé allí, hecha una pelotilla detrás de la mesa de la Seño. Pero enseguida descubrí un escondite mejor. Al fondo de la clase, en el armario del material, había un hueco bastante grande.

Corrí hacia allí y me metí como pude en la estantería de abajo, encima de los papeles para hacer manualidades.

Estaba más o menos cómoda.

Aunque algunas partes de mi cuerpo protestaban un poco. La cabeza, por ejemplo, estaba torcida. Y las rodillas, estrujadas. Parecía a punto de dar una voltereta.

Entonces entorné la puerta del armario.

—No te cierres del todo. Como lo hagas... —me dije en voz baja.

Me quedé quieta, muy quieta, durante montones de minutos. Entonces escuché ruido en el pasillo. Y unas pisadas que se acercaban a la clase. Pisadas grandes.

—¿Qué pasa? —oí que preguntaba alguien.

—Se ha perdido una niña —dijo una voz que se parecía a la de la Seño—. Se llama Junie B. Jones, y no llegó a coger el autobús. Tenemos que encontrarla.

Entonces oí ruido de llaves. Y las pisadas se alejaron. Y la puerta de la clase se cerró.

Pero yo no salí del armario.

Si eres superbuena jugando al escondite, sabes que no debes salir de donde estés hasta que pase mucho, mucho rato.

Así que me quedé allí escondida. Y me inventé una historia para entretenerme yo sola. No una de esas que se cuentan en voz alta, sino de las que pasan por dentro de tu cabeza. Se titulaba *La bella Escondienta*.

La historia era algo así:

«Érase una vez una niña muy bella llamada Escondienta.

»La niña se escondió en un lugar secreto que nadie supo descubrir. Lo único malo es que tenía la cabeza torcida. Y que se le estaba chafando el cerebro.

»Pero, aun así, la bella Escondienta no salió de su lugar secreto. Porque si lo hacía, el apestoso monstruo amarillo la cogería. Él, y unos niños malos-malísimos armados con batidos de chocolate.

»Y colorín, colorado, este cuento se ha acabado».

Después me puse a «reflexionar».

«Reflexionar» es lo que hace el abuelo después de comer. Se tumba delante de la tele y reflexiona. A veces ronca. La abuela siempre le dice: «Vete a la cama, Frank».

Pero, por lo visto, «reflexionar» no es lo mismo que dormir.

Bueno, el caso es que yo no ron-
caba. Solo babeaba un poco.

Cuando ya había reflexionado
bastante, abrí los ojos.

Entonces salí del armario y corrí
hacia la ventana. ¿Y a que no
sabes qué había pasado? Que ya
no quedaban coches en el aparcamiento. ¡Ni coches ni malditos
y apestosos autobuses!

—¡Uf, qué alivio! —dije.

«Alivio» es cuando las hormigas
dejan de pasear por tu tripa.

Después, volví al armario. Y es
que, cuando estaba escondida,
me había dado cuenta de que
olía a plastilina. ¡Y la plastilina es
lo que más me gusta de todo-
todísimo!

—¡Ya la he visto, ya la he visto!
—canté en voz bajita.

Como la plastilina estaba en una estantería un poco alta, tuve que subirme a una silla para alcanzarla.

Era azul y estaba un poco dura, así que empecé a hacerla rodar por el suelo para que se pusiera calentita y blanda. Entonces hice una naranja azul. Quedaba preciosa. Lo único malo es que se le pegaron algunas pelusas y porquerías que había por el suelo.

Cuando terminé, me fui al principio de la clase y me senté en la silla de la Seño.

Me encantan las mesas de los profesores. Tienen unos cajones tan grandes que yo cabría dentro entera.

Abrí el de arriba.

Había pegatinas con caras sonrientes. Y también gomas elásticas. Y otras pegatinas doradas en forma de estrella, ¡mis favoritas!

Me pegué una estrella dorada en la frente.

Luego encontré unos clips. Y rotuladores rojos. Y lapiceros nuevos sin punta. Y tijeras. Y pañuelos de papel. ¿Y a que no sabes qué más?

—¡Tizas! —grité—. ¡Tizas nuevecitas, envueltas y todo!

Entonces me subí a la silla de la Seño y di tres palmadas muy fuertes:

—¡Ahora quiero que cada uno busque una silla y se siente lo más rápido posible! Hoy vamos a aprender unas palabras nuevas. Y además os enseñaré a hacer naranjas azules. Pero antes, tenéis que mirarme mientras dibujo unas cosas.

Fui a la pizarra y me puse a dibujar con una tiza nuevecita, nuevecita.

Dibujé una judía, una zanahoria y pelo rizado.

Luego escribí varias **O**.

La **O** es mi letra preferida.

Después hice una reverencia y dije:

—Muchas gracias. Ahora ya podéis marcharos todos al recreo. Todos... —y puse una sonrisita malvada—: ¡... menos ese odioso de Jim!

7. La espía

Al cabo de un rato, me entró sed.

Es lo que suele pasar cuando se te meten trocitos de tiza en la boca.

—Beberé un poco de agua y ya está —me dije.

Pero entonces pensé:

—Sí, claro. ¿Y si te pilla alguien en la fuente? Podrían obligarte a coger ese autobús apestoso. Será mejor que no vayas.

Di una patada en el suelo:

—¡Bufff, con la sed que tengo...! ¡Y todo por culpa de la maldita tiza!

¡Y entonces se me ocurrió una idea genial!

Arrastré una silla hasta la puerta, me subí encima y espié por la ventana.

Soy una espía superbuena.

Una vez estuve espiando la boca del abuelo mientras dormía. Y vi esa cosa que cuelga al fondo de la boca. Pero no llegué a tocarla. Y todo porque no encontré un palito o algo parecido. Una pena.

Bueno, el caso es que no vi a nadie en el pasillo. Entonces abrí la puerta, pero solo una rendija. Y me puse a olfatear. Porque si olfateas, puedes oler si hay alguien rondando por ahí.

Eso lo aprendí de mi perro, *Cosquilla*. Los perros lo huelen todo. La gente no. La gente solo huele olores grandes, como por ejemplo las flores, la basura o la cena.

—No. No huelo a nadie —dije.

Entonces fui corriendo a la fuente y me quedé bebiendo un buen rato. Y nadie me dijo: «¡Venga, niña, acaba ya!».

Después me puse de puntillas. Y de puntillas fui hasta la biblioteca. ¡Mmmm, cuánto me gusta ese sitio! ¿Te acuerdas?

La biblioteca es un poco como un castillo. Las estanterías son como los muros, y los libros, los ladrillos. Y si los mueves de sitio, haces agujeros para espiar.

Entonces, si ves que se acerca alguien, te quedas ahí, sin respirar. Y no te pillan.

Yo estuve espiando durante un buen rato. Pero no vino nadie. Los únicos que estábamos en la biblioteca éramos yo y unos cuantos peces.

Los peces estaban en una especie de jarra de agua enorme. Los saludé. Luego metí un lápiz y les ayudé a moverse.

Me encantan los peces. Sobre todo rebozados y con un poco de tomate.

Entonces vi lo que más me gusta de todo-todísimo. ¡Un sacapuntas eléctrico! ¡Y estaba en la mesa de la bibliotecaria!

—¡Eh! —grité, toda emocionada—. ¡Me parece que ya sé cómo ponerlo en marcha!

Entonces miré en el cajón de la mesa. ¿Y a que no sabes qué vi? ¡Montones de lapiceros sin estrenar!

Así que enseguida me puse a sacarles punta.

¡Era tan divertido! Porque el sacapuntas hace un ruidito superchulo. Y, además, puedes dejar los lapiceros del tamaño que tú quieras. ¿Que te gustan pequeños? Pues solo tienes que seguir sacándoles punta hasta que se queden enanísimos.

Lo malo es que no funciona con las ceras. Probé con una roja. Pero el sacapuntas iba cada vez más despacio. Luego empezó a hacer «rrrr-rrrr». Y después, dejó de funcionar para siempre jamás.

¡Entonces fue cuando oí un ruido! Eran pasos que se acercaban. Y me entró un miedo... Porque, claro, ¡yo no quería que me encontraran!

Lo que hice fue agacharme y mirar desde un agujero para espiar.

Entonces vi a un hombre que llevaba un carrito de la basura. Iba cantando *Mi carro me lo robaron*. Es una canción superantigua, pero yo me la sé. Se la he oído cantar a mi abuelo.

El hombre del carrito no me vio. Siguió por el pasillo de la biblioteca. Y entonces oí que salía. Yo me quedé agachada durante un buen rato. Pero el hombre no volvió.

—¡Ufssss! ¡Por los pelos! —dije.

Y decidí buscar un escondite mejor.

8. Peligro en la enfermería

¿Y a que no sabes dónde fui? Directa a la enfermería, ¡pues claro! Como allí hay mantas de cuadros para esconderse debajo de ellas...

Y además hay otras cosas chulas. Como la báscula para pesarte. Y un cartel con una **E** gigante y más letras.

La enfermera tiene ese cartel para mirarte los ojos. Ella señala las letras y tú tienes que gritar para decirle cuáles ves.

Sobre todo tienes que gritar muy fuerte la **E,** que para eso es tan grande.

¿Y sabes qué más hay en la enfermería? ¡Tiritas! Y las tiritas son lo que más me gusta de todo-todísimo.

Estaban encima de la mesa. Yo abrí la tapa y las olí.

—¡Hmmm!

Y es que las tiritas huelen igual de bien que un balón de playa nuevecito.

Entonces las saqué. ¡Eran las tiritas más bonitas que he visto en mi vida! ¡Había rojas, azules y verdes! Bueno, y también amarillas, pero como es el color que más odio...

También había de distintos tamaños. Y cuadradas. Y redondas.

Y unas alargadas, que creo que se llaman «rectánculos», o algo así.

Me puse una tirita verde y redonda en la rodilla, porque la semana pasada me caí en la calle y me hice una herida. Ya casi la tengo bien, pero si me aprieto fuerte con el dedo gordo, aún puedo conseguir que me duela.

Después me puse un «rectánculo» azul en el dedo, que es donde me clavé una astilla de la mesa donde comimos cuando fuimos de excursión. Mamá me la sacó con unas pinzas, pero yo creo que aún me queda parte de la mesa dentro del dedo.

Ah, y también me puse un cuadrado rojo en el brazo. Donde me arañó *Cosquilla*. ¡Y todo solo porque le puse boca arriba!

Entonces vi la chaqueta de la enfermera. Era morada y estaba colgada en la silla.

Me la puse.

—Ahora soy la enfermera.

Entonces me senté. Luego hice como que llamaba al hospital.

—Hola, ¿es el hospital? Soy yo, la enfermera. Necesito más tiritas, y pastillas para la tos con sabor a cereza. Pero de las que no pican.

»¡Ah!, también quiero unas chuches para después de las inyecciones.

»Y además necesito un palito o algo parecido para poder tocar esa cosa que cuelga en la garganta.

Luego hice como que llamaba a clase.

—Hola, ¿se puede poner la Seño? Por favor, dile a Jim que venga inmediatamente a la enfermería. Hay que ponerle una inyección.

¡Y justo en ese momento, vi lo que más me gusta de todo-todísimo! Estaban al lado de la puerta. Y se llaman «muletas».

Las muletas son para cuando te rompes una pierna. Entonces el médico te pone la pierna en una funda blanca enoooorme y solo asoman los deditos de los pies. Y no puedes andar. Por eso te da las muletas, para que vayas balanceándote.

Corrí a coger las muletas y me las puse debajo de los brazos. Solo que eran demasiado altas y no podía balancearme bien.

¡Y entonces tuve otra gran idea! Me llevé las muletas hasta la silla de la enfermera. Me subí a la silla para estar bien alta. Y entonces sí que sí, me puse las muletas bajo los brazos. ¡Y me iban bien!

Después me puse al borde de la silla. Y, poco a poco, me incliné hacia delante.

¡Pero entonces pasó algo horrible! La silla tenía ruedas... ¡Y se movió! Y me quedé apoyada en las muletas, columpiándome en el aire. ¡Y no había manera de parar ni de bajar!

—¡EH! —me puse a gritar—. ¡QUIERO BAJAR! ¡AYUDA!

De repente, se me resbaló una de las muletas. ¡Y yo detrás! ¡PUUUMBA! ¡Contra la mesa!

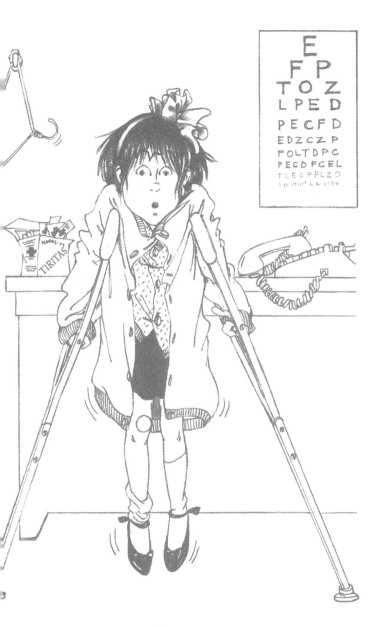

E
F P
T O Z
L P E D
P E C F D
E D Z C Z P
F O L T D P C
P E C D F C E L
T L E O F P L Z O

TIRITAS

—¡AY! —gritaba—. ¡AY, AY, AY, AY!

Entonces volví a coger el teléfono.

—¡Me voy! ¡No pienso seguir trabajando de enfermera! —dije.

Porque la enfermería es un lugar lleno de peligros.

¡Y las muletas ya no son lo que más me gusta de todo-todísimo!

9. A toda velocidad

Me encanta correr en el colegio.

Es más divertido que correr en casa.

En el colegio puedes volar con los brazos extendidos como si fueras un avión y no te chocas con un mueble o con una puerta. Y, además, no le rompes la cabeza a la figurita esa del pájaro que tanto le gusta a tu madre: un ruiseñor, o una paloma. No sé.

Total, que fui planeando como un avión hacia el comedor.

73

Porque en el comedor hay montones de mesas donde puedes esconderte.

Solo que, cuando intenté abrir la puerta, resulta que estaba cerrada.

Así que me fui corriendo a otro cuarto, al otro lado del pasillo.

Pero la maldita puerta también estaba cerrada.

—Eh, ¿quién ha sido el idiota que ha cerrado todas las puertas? —pregunté.

Entonces empecé a dar saltitos. Y es que tenía un problema... Uno de esos que llaman «íntimos».

Que me hacía pis, vaya.

¡Corriendo hasta el fondo del pasillo!

¡Directa al baño de chicas!

¿Y a que no sabes qué pasó? Pues que, cuando llegué, ¡esa maldita puerta también estaba cerrada!

Y empecé a darle patadas. Y empujones.

—¡ÁBRETE O VERÁS! —grité.

Pero la puerta seguía cerrada.

—¡ES UNA EMERGENCIA! —chillé.

Entonces me acordé del niño supertonto. Porque él también tuvo una emergencia. Y claro, se fue al cuarto de baño de los chicos.

Así que me fui volando por todo el pasillo hasta el baño de chicos. ¡Pero la puerta también estaba cerrada!

—¡MALDITAS PUERTAS!

Después empecé a bailotear con las piernas muy juntas y pensé:

«Huyuyuyyy..., voy a tener un accidente..., y encima, ¡con mi preciosa falda que parece de terciopelo!».

Entonces me acordé de algo que me enseñaron. Algo sobre cuando tienes una emergencia. Sí, mamá me contó lo que tenía que hacer.

¡Llamar al 112!

Volví corriendo a la enfermería, y eso que es un sitio muy peligroso, pero es que allí estaba el teléfono. Lo cogí y marqué el 1, luego otra vez el 1 y luego el 2.

—¡SOCORRO! ¡ES UNA EMERGENCIA! —grité con todas mis

fuerzas—. ¡TODAS LAS PUERTAS ESTÁN CERRADAS! ¡Y VA A PASAR ALGO HORRIBLE! ¡UN ACCIDENTE!

Entonces escuché una voz al otro lado. Decía que me tranquilizara.

—¡SÍ, CLARO, QUÉ MÁS QUISIERA! ¡PERO ES QUE TENGO UN PROBLEMA ENORME! ¡Y ESTOY SOLA! ¡Y NECESITO AYUDA! ¡YA!

Entonces la voz volvió a decirme que me tranquilizara.

Pero yo no podía estarme quieta, así que colgué y me fui corriendo de allí.

Y seguí corriendo y corriendo hasta que llegué a la puerta grande del pasillo.

¡Y salí fuera del colegio! Porque puede que hubiera algún baño fuera... ¿Quién sabe?

Pero no vi ningún baño.

Lo único que oí fue el ruido de... ¡sirenas! Montones de sirenas por todas partes.

¡Y sonaban cada vez más cerca!

Entonces apareció un enoooor-me camión de bomberos. ¡Y un coche de policía! ¡Y una ambu-lancia!

¿Y a que no sabes dónde para-ron? ¡En el aparcamiento del colegio!

Yo dejé de dar saltitos con las piernas apretadas...

... Y me puse a olfatear el aire. ¡Pero no olía a humo!

78

Entonces oí una voz gruñona
que gritaba:

—¡EH, ESPERE UN MOMENTO,
SEÑORITA!

Y me entró miedo, porque
«señorita» es mi nombre cuando
me he metido en un lío.

Me volví.

¡Y resultó que era el hombre del
carrito! ¡Y venía hacia mí!

—¡ESPERE! ¡PARE! —volvió a gritar.

Y entonces me eché a llorar.

—Sí, claro, qué más quisiera. Ya
no puedo pararlo más... —le
dije—. Me he aguantado un
montón. ¡Tengo una emergencia!
¡Y todos los baños están cerra-
dos! ¡Y va a pasar algo horrible!

Entonces el hombre del carrito
dejó de parecer tan gruñón.

—¿Y por qué no lo has dicho
antes, hija? —me dijo, aunque él
no es mi padre.

80

Entonces el hombre del carrito
sacó montones de llaves del
bolsillo, me cogió de la mano y
volvimos al colegio a toda pastilla.

10. Claudia

El hombre del carrito me abrió el baño de las chicas. Y me metí volando en él.

¿Y a que no sabes qué pasó? ¡Que llegué a tiempo! ¡No tuve un accidente! ¡Mi falda que parece de terciopelo estaba perfecta!

—¡Uuuuf! ¡Por los pelos! —dije.

Luego me lavé las manos y me miré en el espejo. Todavía llevaba la estrella dorada pegada en la frente.

¡Quedaba tan bonita!

Después volví al pasillo.

El hombre del carrito se inclinó hacia mí y me dijo:

—¿Va todo bien, hija?

Yo moví la cabeza arriba y abajo:

—¡Pude aguantarme! —le dije, contentísima.

Y, de repente, montones de personas vinieron corriendo hacia donde estábamos.

Eran bomberos. Y policías. Y también había una señora muy alta que llevaba una cama con ruedas.

—¡Eh! ¿Qué pasa? —le pregunté al hombre del carrito—. ¿Han atropellado a alguien aquí dentro, o qué?

Entonces vi a la Seño, al Director y a mamá.

¡Y entonces mamá se agachó y me abrazó muy fuerte!

Luego, todo el mundo se puso a hablar a la vez.

El Director empezó a preguntarme trillones de cosas. Casi todas eran preguntas sobre escondites.

—Soy superbuena jugando al escondite —le dije.

El Director parecía enfadado:

—En el colegio hay unas normas. Y las normas están para cumplirlas. ¿Qué pasaría si todos los niños y niñas se escondieran en el armario del material al acabar la clase?

—Que estaría a tope —contesté yo.

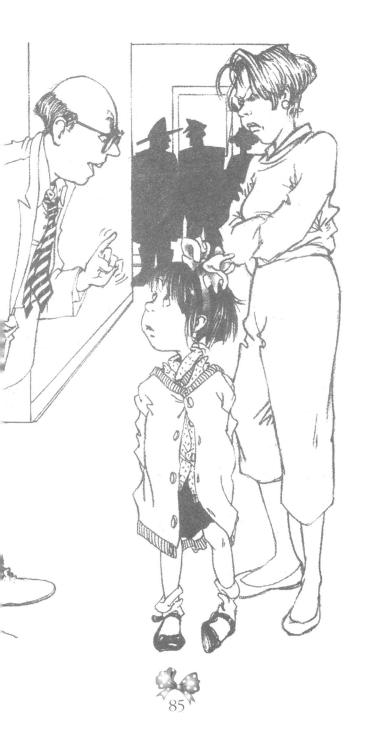

El Director frunció el ceño y siguió diciendo:

—Pero no sabríamos dónde están los alumnos, ¿verdad?

—Sí —dije—: ¡Estarían en el armario del material!

Entonces el Director miró al techo. Y yo también. Pero tampoco vi nada especial allí.

Cuando mamá vio las tiritas que me había puesto, me preguntó:

—¿Te has hecho daño?

Entonces le conté lo peligrosa que es la enfermería. Y le enseñé la chaqueta morada de la enfermera. Y me hizo devolverla.

Luego se fueron todos: los bomberos, los policías y la señora muy alta que llevaba una cama con ruedas.

Y al final, mi madre me llevó a casa. ¿Y sabes qué pasó? ¡Que no tuve que coger ese maldito y apestoso autobús!

Aunque ir en coche tampoco fue muy divertido. Porque mamá estaba enfadada conmigo.

—Siento mucho que no te gustara ir en autobús, Junie B. —me dijo—. Pero lo que hiciste está muy, muy mal. ¿Has visto todos los problemas que nos has dado? ¡Estábamos muy preocupados!

—Pero si yo solo quería que no me tirasen batido de chocolate por la cabeza... —le expliqué.

—Pero ¡qué tonterías dices! —gruñó mamá—. Eso no pasa en el autobús. Además, no puedes decidir que no lo coges y ya está. Cientos de niños van en autobús cada día, y si ellos pueden hacerlo, tú también.

Entonces se me pusieron los ojos húmedos otra vez.

—Sí, pero es que en mi autobús hay niños malos... —dije con voz llorosa.

Mamá se puso menos gruñona.

—¿Y si fueras con una amiga? —me preguntó—. Tu profesora me ha contado que hay una niña de tu clase que irá en el autobús. Mañana va por primera vez. Podríais sentaros juntas. ¿Te gustaría?

Yo subí y bajé los hombros.

—Se llama Claudia —dijo mamá.

Así que, cuando llegamos a casa, mamá llamó por teléfono a la madre de Claudia. Y hablaron.

Y luego yo y Claudia (digo…
Claudia y yo) hablamos también
un rato. Yo dije «hola» y ella dijo
«hola». Y ella me dijo que se sen-
taría conmigo.

Así que mañana cogeré mi car-
peta roja y la subiré al autobús.
Y, cuando me siente, la pondré
en el sitio de al lado, para que
no me lo quite nadie.

Nadie que no sea Claudia, claro.

Y puede que nos hagamos ami-
gas. Y entonces iremos de la
mano. Como yo y Lucy (digo…
como Lucy y yo).

Eso me gustaría. Sí.

¿Y sabes qué creo?

Que mañana puede que me
guste un poco más el amarillo.

¿Quién sabe?

Las «cosas» de Junie B.

alivio

Es cuando las hormigas dejan de pasear por tu tripa.

baños

En mi cole hay dos tipos de baños: El tipo de chicos y el tipo de chicas. Yo no puedo entrar en el tipo de chicos, porque las chicas no pueden. Por eso.

biblioteca

Es un sitio un poco como un castillo. Las estanterías son como los muros, y los libros, los ladrillos. Si los mueves de sitio, haces agujeros para espiar.

enfermería

Es un sitio muy chulo de mi cole. Hay camitas para tumbarse, y mantas de cuadros. Allí, la enfermera no parece una enfermera. No lleva ropa blanca, ni tampoco zapatos blancos. La enfermera de la enfermería de mi cole es de colores, como todo el mundo.

muletas

Son dos cosas para cuando te rompes una pierna. Entonces el médico te pone la pierna en una funda blanca enooooorme y solo asoman los deditos de los pies. Y no puedes andar. Por eso te da las muletas, para que vayas balanceándote.

olfatear

Es cuando hueles para ver si hay alguien por ahí. Lo aprendí de mi perro, *Cosquilla*. Los perros lo huelen todo. La gente no. La gente solo huele olores grandes, como por ejemplo las flores, la basura o la cena.

reflexionar

Es lo que hace el abuelo después de comer. Se tumba delante de la tele y reflexiona. A veces ronca.

señorita

Es mi nombre cuando me he metido en un lío.

Títulos publicados

¡Los libros son
lo que más
me gusta
de todo-todísimo!
¿Y a ti?

No te pierdas
ni una
de mis
historias...

¡Son
superchulas!